CW00819256

Au secours
Voilà le
LOUP!

ISBN 978-2-211-22753-7
Première édition dans la collection *les lutins*: février 2016
© 2013, l'école des loisirs, Paris
Loi numéro 49 956 du 16 juillet 1949 sur les publications
destinées à la jeunesse : mars 2013
Dépôt légal : février 2016
Imprimé en France par I.M.E. by Estimprim - 25110 Autechaux

Ramadier & Bourgeau

Au secours voilà le LOUP!

les lutins de l'école des loisirs
11, rue de Sèvres, Paris 6e

Le loup arrive...

VITE! Tourne la page
pour t'en débarrasser!

Il s'approche...

VITE ! Tourne la page !

Il est là,
tout près !

VITE ! Penche
le livre à droite
et tourne la page !

Il tombe!

Youpi !
Garde le livre bien penché
et tourne la page !

Il tombe encore!

Penche encore
(et tourne la page)

Il roule !

Continue de pencher,
il va tomber
dans le précipice !
(et tourne la page)

Oh non !
Il s'accroche
à une branche !

Tourne la page et secoue le livre !

Il tient bon le bougre !

Tourne la page
et mets le livre
à l'envers...

Retourne le livre
et tourne la page !

Il est bien
accroché ce fou !

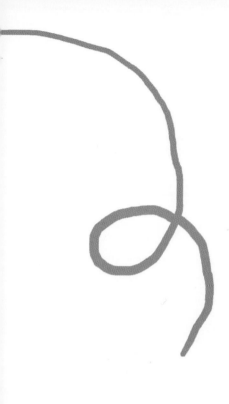

VITE !
Tourne la page !

Au secours !
Ferme le livre !